de la MINCEUR

Docteur Florence Solsona

LAROUSSE

21 rue du Montparnasse 75283 Paris Cedex 06

Sommaire

Savoir si vous avez réellement besoin de maigrir

Vous voulez maigrir. Vous vous êtes même déjà engagé(e) dans un régime ? Avant d'aller plus loin, il vous faut clarifier quelques questions : votre objectif (voir pp. 6 et 7), votre motivation (voir pp. 8 et 9), et pour commencer le poids qui devrait vous convenir.

CONNAÎTRE VOTRE POIDS DE FORME

Votre poids de forme est le poids dans lequel vous vous sentez bien et que vous maintenez facilement. Afin de le déterminer, interrogez-vous sur une période de votre vie où votre poids est resté longtemps stable sans effort diététique particulier.
• Il ne faut pas confondre poids de forme et poids idéal.
Le poids de forme est individuel alors que le poids idéal est statistique : il correspond à un Index de masse corporelle (IMC) compris entre 20 et 25.
IMC = Poids (en kg)/Taille (en mètre)^2.

• Mais sachez également que votre IMC sera surévalué si vous êtes très sportif, donc très musclé ; et il sera sous-évalué si, au contraire, vous êtes peu musclé (situation très fréquente chez les femmes au-delà de la cinquantaine).

CONNAÎTRE VOTRE TOUR DE TAILLE

Connaître votre tour de taille est important car, s'il est trop élevé, les risques de développer une maladie cardio-vasculaire augmentent et il est alors nécessaire de perdre du poids quel que soit votre IMC.

• Pour le mesurer, munissez-vous d'un mètre-ruban et placez-le horizontalement autour de votre ventre en passant par un point situé à mi-chemin entre la dernière côte et le haut du bassin. Respirez tranquillement, et après quelques secondes prenez la mesure.

• Votre tour de taille doit être idéalement inférieur à 80 cm si vous êtes une femme et à 92 cm si vous êtes un homme. On le considère comme très élevé s'il est supérieur à 88 cm chez les femmes et 102 chez les hommes.

Se fixer un objectif clair et réaliste

Perdre du poids est un moyen et non un objectif. Il est capital de bien comprendre la différence avant de se lancer dans un régime.

En effet, ce n'est pas mincir qui vous apportera le bonheur, le succès en amour, un emploi intéressant... C'est d'être en harmonie avec vous-même, serein et confiant. Le surpoids peut bien sûr être un obstacle pour atteindre cet état, mais il ne peut en aucun cas être le seul. Sinon tous les gens minces (et uniquement eux) seraient en couple, heureux et auraient un travail !

LES QUESTIONS À SE POSER

Avant de démarrer votre régime, prenez le temps de réfléchir à votre démarche et à la place que tient le poids dans votre vie. Pour cela, répondez par exemple à ces quelques questions :

• Qu'est ce que je souhaite exactement : une perte de poids ou une stabilisation ?

• Que va m'apporter cette évolution de mon poids ?

• Ai-je vraiment besoin d'avoir un poids strictement « normal » pour ça ?

• En quoi mon poids est il physiquement gênant ?

• En quoi mon poids est-il psychologiquement gênant ?

• Quels sont les avantages et les inconvénients pour moi à continuer à manger beaucoup et déséquilibré ?

• Quels sont les avantages et les inconvénients pour moi à manger moins et mieux ?

• Quelle image ai-je de la minceur, de la maigreur, du surpoids, de l'obésité ?

Notez par écrit vos réponses et reposez vous régulièrement ces questions en comparant vos réponses.

Clarifier
sa motivation

Être motivé est une condition nécessaire mais pas suffisante pour perdre du poids. Pour réussir un régime, il faut aussi avoir confiance dans sa capacité à changer.

Afin d'y voir plus clair, répondez régulièrement à ces deux questions :

• sur une échelle de 1 à 10, où situez-vous votre motivation ?

(1 = en ce moment, je n'en ai aucune envie,

10 = en ce moment, c'est quelque chose de prioritaire dans ma vie)

    1 2 3 4 5 6 7 8 9 10

• Sur une échelle de 1 à 10, où situez-vous votre confiance dans vos capacités à changer vos habitudes ?

(1 = je suis incapable de changer quoi que ce soit en ce moment,

10 = je suis prêt à tout changer si nécessaire).

    1 2 3 4 5 6 7 8 9 10

VOUS AVEZ UN SCORE ÉLEVÉ À CHACUNE DE CES DEUX QUESTIONS ?

Vous êtes prêt à changer vos habitudes et votre démarche sera très probablement un succès.

VOUS AVEZ UN SCORE ÉLEVÉ À LA PREMIÈRE QUESTION MAIS FAIBLE À LA SECONDE ?

Cela n'est pas grave. Utilisez la méthode du « pas à pas » (voir pp. 12 et 13). Des changements minimes, choisis par vous, vous permettront d'obtenir un résultat sur votre poids et ainsi renforceront votre confiance. Peu à peu, votre score s'élèvera.

VOUS AVEZ UN SCORE FAIBLE AUX DEUX QUESTIONS ?

Ce n'est simplement pas le bon moment pour vous. Reposez vous régulièrement ces deux questions afin de repérer la période où vous serez prêt, et ce jour-là, vous réussirez sans aucun doute.

Ne pas confondre régime rapide et régime efficace

La plupart des personnes en surpoids souhaitent retrouver leur poids de forme le plus rapidement possible, faisant ainsi le succès de nombreuses méthodes « miracles ».

Or, une perte de poids rapide est toujours suivie d'une reprise de poids souvent majorée de quelques kilos supplémentaires.

Ce phénomène, qu'on appelle le « yoyo pondéral », est dû :

• à la perte de masse musculaire (n'oubliez pas que ce sont les muscles qui brûlent la plupart des calories que nous ingérons) ;

• aux carences induites par les régimes déséqui-

À RETENIR

Gardez toujours en tête qu'une perte de poids n'a d'intérêt que si elle est durable voire même définitive.

librés ou trop restrictifs, qui vont entraîner ensuite un stockage accru des aliments pour reconstituer les réserves ;
• aux frustrations, qui provoquent des envies difficilement répressibles vis-à-vis des aliments supprimés de l'alimentation courante.

CONTRE LE RISQUE DU « YOYO »

Pour éviter ce phénomène, il est indispensable de :

• ne jamais se lancer dans un régime déséquilibré et/ou restrictif tel qu'un régime hyperprotéiné par exemple ;

• faire une activité physique très régulièrement (idéalement tous les jours, même s'il ne s'agit que d'une quinzaine de minutes de marche rapide) ;

• s'autoriser de temps à autre un repas festif ;

• profiter de la période de perte de poids pour prendre de bonnes habitudes alimentaires à conserver tout au long de sa vie !

Utiliser la technique du « pas à pas »

Il arrive parfois que, malgré une envie certaine de perdre du poids, l'ampleur de la tâche que représente un changement trop important effraie. La motivation est là mais la confiance en ses capacités à changer est faible (voir pp. 8 et 9).

Dans ce cas, il ne faut surtout pas se fixer des objectifs de « perfection diététique ». Ils seront impossibles à atteindre et ne feront que vous conforter dans l'idée que vous n'êtes pas capable de changer, diminuant encore votre score de confiance. Au contraire, donnez-vous des objectifs faciles à atteindre. En parvenant à les tenir, vous ferez augmenter votre score, accroissant ainsi vos chances de réussite.

Et rassurez-vous, on peut parfaitement perdre du poids par cette méthode du « pas à pas » et souvent la perte de poids obtenue ainsi est, dans le temps, supérieure et surtout plus durable.

QUELQUES EXEMPLES

• Vous mangez une plaquette de chocolat tous les soirs ? N'essayez pas de la supprimer totalement, commencez simplement par n'en manger que la moitié.
• Vous êtes totalement sédentaire ? Achetez un podomètre pour compter le nombre de pas effectués dans la journée et essayez d'augmenter de 100 pas par jour.

À RETENIR

La meilleure façon de procéder est de faire une liste de vos « mauvaises habitudes ».

Ensuite, vous déciderez vous-même ce que vous allez modifier.

Soyez très, très raisonnable : ne choisissez que des changements que vous êtes sûr(e) de réussir à mettre en œuvre.

Éviter les frustrations

... QUI CONDUISENT À « CRAQUER » ET À REPRENDRE DU POIDS

Lorsqu'on veut maigrir, les frustrations apparaissent souvent très vite. En effet, on a tendance à s'imposer, dans un souci d'efficacité, des mesures très strictes, supprimant totalement certains aliments que l'on estime responsables de la prise de poids.

Mais dans la plupart des cas, l'aliment « interdit » apparaît, du fait même de sa suppression, extrê-

À RETENIR

La frustration dans les régimes joue un rôle très important dans le phénomène du « yoyo pondéral », c'est-à-dire dans la reprise de poids. Il faut donc faire en sorte de mincir sans se frustrer. Et c'est tout à fait possible !

mement désirable, et s'en priver devient alors de plus en plus difficile : la frustration s'installe... Or, nul ne peut vivre sereinement ni longtemps dans la frustration. Tôt ou tard, dans un moment de colère, de déprime ou de stress, le barrage de la motivation cède : on ne peut s'empêcher de « craquer » sur tout ce que l'on s'interdit si formellement.

TROIS BONS CONSEILS À SUIVRE

• Ne supprimez aucun aliment totalement. N'oubliez jamais que ce ne sont pas les aliments qui font grossir, c'est d'absorber plus de calories que ce qu'on en dépense. Si vous mangez plus de haricots verts que ce que vous dépensez, vous grossirez !

• Offrez-vous un repas festif une fois par semaine, au cours duquel vous pouvez manger ce que vous voulez.

• Lorsque vous êtes amené à manger une friandise, faites-le sans culpabiliser, en faisant durer le plaisir et en savourant chaque bouchée.

Faire du sport

Nous le savons tous, faire du sport est fortement conseillé lorsqu'on souhaite perdre du poids. Mais ce que vous ne savez peut-être pas c'est que faire du sport est indispensable si vous souhaitez ne pas regrossir.

En effet, faire du sport permet de brûler quelques calories supplémentaires certes, mais permet surtout de maintenir sa masse musculaire intacte durant la phase d'amincissement. D'autre part, n'oubliez pas que l'activité physique est la meilleure des préventions contre bon nombre de maladies dont les maladies cardio-vasculaires et les cancers.

À SAVOIR

La fonte musculaire, conséquence malheureuse de certains régimes, est une des principales causes de « yoyo » pondéral. Donc de la reprise de poids!

COMMENT BOUGER DAVANTAGE ?

Tout d'abord, demandez son avis à votre médecin traitant avant toute reprise d'activité physique.

• Si vous n'êtes pas sportif, préférez l'activité physique au sport proprement dit. Saisissez dans la journée toutes les opportunités pour bouger davantage : escaliers plutôt qu'ascenseur, marche à pied ou vélo plutôt que voiture, etc.

• La durée quotidienne idéale pour une activité physique telle que la marche est comprise entre 20 et 30 minutes. Cette durée peut être discontinue : 3 fois 10 minutes par exemple.
Achetez un podomètre qui comptera le nombre de pas que vous faites par jour : essayez chaque jour d'augmenter votre score. Sachez que marcher plus de 10 000 pas par jour équivaut à une activité sportive.

• Utilisez un vélo d'appartement et pédalez au moins 10 minutes matin et soir.

Ne pas se peser tous les jours

Vous peser tous les jours vous expose à prendre en compte des variations quotidiennes de poids qui ne sont que des mouvements d'eau dans le corps sans conséquence.

Si vous constatez que vous avez pris 500 grammes alors que vous n'avez fait aucun écart, vous risquez de vous décourager et de penser à tort que vos efforts sont vains.

Au contraire, si vous ne vous pesez qu'une fois par semaine, vous pourrez réellement apprécier le fruit de vos efforts alimentaires.

À RETENIR

Pesez vous une seule fois par semaine,
de préférence le vendredi :
les effets pondéraux des sorties du week-end
auront ainsi disparu.

Par ailleurs, n'oubliez pas que lorsqu'on mange plus gras et plus sucré que d'habitude, la digestion plus difficile va entraîner une rétention d'eau qui va se traduire par une prise de poids sur la balance pendant environ 48 heures.

MIEUX QUE LA PESÉE : ÉVALUER AUTREMENT SON AMINCISSEMENT

Utiliser vos vêtements comme repère pour suivre l'évolution de votre perte de poids est beaucoup plus intéressant que se peser.

• En effet, seules les variations de masse graisseuse influent sur votre confort dans vos vêtements : si vous pouvez fermer un pantalon alors que c'était impossible il y a 15 jours, c'est que vous avez minci, et cela quel que soit le poids affiché sur la balance.

• Choisissez des « vêtements-jalons » devenus trop petits depuis que vous avez pris du poids et essayez-les régulièrement : imaginez votre joie lorsque vous pourrez les remettre !

• Comptez les trous de votre ceinture.

Apprendre à manger (seulement) à sa faim

Lorsqu'un bébé vient au monde, il est équipé d'un système de régulation de son appétit très performant, qui lui permet de réguler parfaitement ses apports alimentaires en fonction de ses besoins. Nous possédons toujours à l'âge adulte ce système, mais nous avons parfois perdu l'habitude de l'utiliser, ce qui est bien dommage car c'est le meilleur rempart contre la prise de poids.

ÉCOUTEZ LES MESSAGES QUE LE CORPS VOUS ENVOIE

Si vous arrivez à ne manger que lorsque vous avez faim et à vous arrêter de manger lorsque vous atteignez le seuil de rassasiement, vous verrez progressivement disparaître votre surpoids, sans effort ni frustration.

Mais il existe des pièges à connaître :

• ne pas confondre la faim avec d'autres sensations comme l'envie de manger, la gourmandise, l'ennui, la colère, le dépit, la fatigue ;

• ne pas manger trop vite : le cerveau a besoin d'au moins 20 minutes pour faire émerger la sensation de rassasiement. Si vous mangez trop vite, la quantité d'aliments ingérés pendant ces 20 minutes sera trop importante ;

• manger dans le calme, sans s'adonner simultanément à une autre activité (télévision, ordinateur, lecture) : vous devez être attentif à ce que vous mangez pour que le cerveau soit disponible pour effectuer son travail de régulation ;

• ne pas confondre la sensation de rassasiement, qui est agréable, avec la sensation, désagréable, provoquée par un estomac trop rempli ;

• consommer des aliments simples, peu transformés par l'industrie agroalimentaire, donc bien identifiés par le cerveau ;

• accepter de ne pas finir son assiette !

Ne jamais
rester sur sa faim !

La sensation de faim est un signal d'alarme que l'organisme vous envoie afin que vous mangiez quand vos réserves d'énergie à court terme sont vides.

Si vous ne répondez pas favorablement à ce signal en mangeant, votre corps va très vite s'adapter en adoptant un fonctionnement au ralenti, c'est-à-dire en brûlant moins de calories. Résultat : lorsque vous ferez à nouveau un bon repas, vous stockerez l'excédent calorique de façon accrue (et reprendrez du poids) !

De plus, il n'est vraiment pas confortable d'avoir faim, ce n'est donc pas une situation vivable à long terme. Votre capacité de concentration, votre bonne humeur s'en ressentiront très vite.
Même lorsqu'on veut perdre du poids, il faut manger suffisamment pour ne pas avoir faim entre les repas et notamment prendre toujours un petit déjeuner et goûter correctement !

Manger (très) lentement

Manger lentement est indispensable au bon fonctionnement de la régulation alimentaire et facilite la digestion. Alors comment faire ?

• Mâchez 10 fois chaque bouchée avant d'avaler. Les carottes râpées, par exemple, forcent à mâcher (reste à ne pas les assaisonner d'une sauce calorique).

• Posez votre couteau et votre fourchette entre chaque bouchée.

• Si vous êtes invité, choisissez de suivre le convive qui mange le plus lentement et adoptez son rythme. Si vous êtes en avance, attendez-le !

• Si vous souhaitez vous resservir, attendez que toute la tablée ait terminé. Reposez vous alors la question : « ai-je encore assez faim pour me resservir ? ». Si la réponse est « non », abstenez vous !

• Lorsque vous êtes à la maison, utilisez des baguettes chinoises, même si votre repas n'a rien d'asiatique ; coupez vos aliments en tout petits morceaux que vous mangerez un à un, en appliquant toujours les deux premiers conseils !

Diminuer ses portions (sans se priver !)

Il n'y a pas de secret : dans la majorité des cas, manger moins permet de perdre du poids. Cependant, ce n'est pas toujours facile. En effet, il faut diminuer les quantités tout en mangeant suffisamment pour ne pas avoir faim d'une part et pour éviter le sentiment de privation et de restriction d'autre part.

• Commencez tous vos repas par un bol de soupe : des études ont démontré que vos portions seront alors diminuées spontanément d'environ 20% (voir pp. 34 et 35).

• Mangez en premier ce que vous aimez le moins (quand on est gourmand, si on commence par ce que l'on préfère, on a tendance à « sur-manger ») ; après, vous aurez de toutes façons moins faim pour la suite et en dévorerez moins.

• Servez-vous dans de petites assiettes, voire même des assiettes à dessert. Une petite portion dans une grande assiette vous donnera l'impression d'être privé de nourriture, alors qu'une petite portion dans une petite assiette vous donnera l'impression de manger normalement.

• Utilisez cette astuce de restaurateur : mettez une bonne portion de salade verte dans votre assiette avec ce qui constitue votre plat principal, il ne restera pas beaucoup de place pour le reste ! D'une manière générale, composez toujours votre assiette d'une moitié de légumes (crus ou cuits), d'un quart de viande ou de poisson et d'un quart de féculents (pâtes, riz, blé, légumes secs...).

• Utilisez pour vous servir dans le plat une cuillère à soupe plutôt qu'une grosse cuillère de service.

• Afin de limiter la tentation de vous resservir, ne laissez ni les plats, ni le plateau de fromage, ni la corbeille à pain sur la table, et mangez lentement afin de ne pas finir avant les autres.

Ne pas sauter de repas !

Lorsqu'on souhaite améliorer son alimentation notamment pour perdre du poids, il est nécessaire de manger régulièrement. Il faut donc faire 4 repas par jour : un petit déjeuner, un déjeuner, une collation et un dîner.

Sauter un ou plusieurs repas vous expose à des envies irrépressibles de grignoter ou si vous y résistez, à un stockage accru des calories lorsqu'enfin vous prendrez un vrai repas.

• Ne confondez pas « je n'ai pas faim » avec « je n'ai pas le temps ». Lorsqu'on est très occupé et/ou préoccupé, on peut ne pas ressentir la faim, ça ne signifie pas qu'elle n'existe pas.

• Prenez un petit déjeuner. Si vous n'avez pas faim en vous levant, attendez un peu ou prévoyez une collation à manger sur votre lieu de travail. Ne pas manger le matin revient à laisser votre corps sans carburant pendant plus de 16 heures consécutives ! Voilà de quoi le convaincre de faire des réserves !

• Ne croyez pas que le goûter est l'apanage des enfants : prendre une collation en fin d'après-midi évite les grignotages lors de la préparation du dîner et permet également un dîner plus léger.

En revanche, si vous faites un gros déjeuner (repas de famille ou de fête) et que vous n'avez réellement pas faim à l'heure de goûter ou même du dîner, bien évidemment écoutez-vous et ne mangez pas tant que la faim ne revient pas.

À RETENIR

N'oubliez pas que la faim est un signal d'alerte que vous envoie votre corps ; si vous ne l'écoutez pas, vous ne maigrirez pas, car votre organisme va développer des stratégies d'adaptation qui se traduiront par une prise de poids.

Prendre un bon petit déjeuner

Le petit déjeuner devrait, en théorie, représenter environ un tiers des apports quotidiens.
Sa composition idéale comprend : un fruit, une boisson, un produit céréalier (pain, biscottes, céréales), un laitage et éventuellement une noisette de beurre. Il est possible aussi d'ajouter un œuf, une portion de fromage ou du jambon.

QUELQUES PIÈGES À ÉVITER

• Les pâtes à tartiner : beaucoup trop grasses.
• Un petit déjeuner trop sucré, par exemple : un chocolat au lait avec du pain blanc, de la confiture et un jus de fruit. Ce ne sont que des sucres rapides qui vont entraîner très vite une fringale dans la matinée avec une envie impérieuse de sucreries.
• Les céréales industrielles : souvent très riches en sucres et en graisses, surtout si elles sont chocolatées. Préférez les mueslis sans sucre, qui présentent en plus l'avantage d'être à base de céréales complètes.

ET SI VOUS NE PRENEZ JAMAIS DE PETIT DÉJEUNER ?

• Si c'est par manque de temps, levez-vous plus tôt : un quart d'heure de plus ou de moins ne rendra pas le lever moins difficile !

• Si c'est parce que vous ne pouvez rien avaler au réveil, emportez un petit déjeuner à manger plus tard dans la matinée : petit sandwich pain complet-fromage frais, ou pain complet-confiture, et un fruit par exemple. Même si ce n'est pas aussi bien qu'un vrai petit déjeuner, cela évite le jeûne de seize heures que ceux qui ne prennent pas de petit déjeuner imposent à leur organisme au risque de fringales et de stockage accru lors des autres repas.

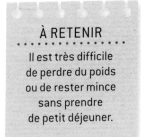

À RETENIR

Il est très difficile de perdre du poids ou de rester mince sans prendre de petit déjeuner.

Ne pas oublier de goûter

Le goûter est un repas au même titre que le petit déjeuner, le déjeuner ou le dîner.
Il est donc important, afin d'éviter les grignotages de fin de journée ou les dîners trop copieux, de s'accorder un petit en-cas lorsqu'on a faim, souvent en fin d'après midi.

BONS EXEMPLES À SUIVRE

Bien évidemment ce goûter ne doit pas déséquilibrer l'alimentation de la journée par un apport excessif en graisses et/ou en sucre. Alors que peut-on manger ?
• Une tranche de pain complet, 2 carrés de chocolat noir et un laitage.
• Une tranche de pain complet, un fromage frais et un fruit.
• Un fromage blanc et deux gâteaux secs type « petits beurre ».
• 2 petits suisses, une tranche de pain complet légèrement tartinée de confiture.

À SAVOIR

Si vous n'avez pas faim, il n'est pas question
de vous forcer à goûter. Mais il se peut alors
que votre déjeuner soit trop copieux ou que le fait
de ne rien manger entre midi et 20 heures
induise un dîner trop calorique.
Or, aucune de ces deux situations ne facilitent
la perte de poids !

• Une tranche de pain complet, une demi-tranche
de jambon dégraissé et un fruit.

N'oubliez pas d'ajouter à ce goûter une boisson
non sucrée (tisane, thé, café) afin de vous réhydrater.

Par ailleurs, faites de ce moment un vrai moment
de détente, comme un sas entre le travail et la
maison. Prenez-le assis, au calme, en étant attentif
au plaisir qu'il vous procure. Vous serez alors
rechargé en énergie pour la fin de la journée.

Soigner le cadre
de ses repas

Le rassasiement dépend, entre autres, du temps et du plaisir que le repas nous procure. Aussi, il est indispensable de rendre ce moment agréable. Nous reconnaissons tous que manger un met succulent dans une assiette en carton avec des couverts en plastique lui fait perdre une partie de sa magie et donc de sa saveur. De même, un très bon vin dans un gobelet est dévalorisé. Faisons donc l'inverse !

• Dressez une jolie table même si vous êtes seul : on ne mange pas directement dans le plat !
• Utilisez de la belle vaisselle. Une eau pétillante garnie d'une rondelle de citron dans un verre à pied vous fera davantage plaisir qu'une eau plate dans un verre à moutarde.
• Asseyez-vous à table : ne mangez jamais debout !
• Gardez votre coin cuisine propre et rangé : rien de plus déprimant qu'un repas pris, à la va-vite dans un capharnaüm de vaisselle sale et d'emballages.

Tout ceci vous paraît anecdotique dans une démarche de perte de poids ? Vous vous trompez. Un repas sans plaisir n'est pas rassasiant. Par conséquent, la sensation de faim va avoir du mal à disparaître... ou bien va revenir très vite. Et alors, gare aux grignotages ! D'autant que l'absence de plaisir lors du repas va vous pousser vers des aliments qui vous donneront ce plaisir qui vous aura manqué à table, donc souvent des aliments très caloriques qui vont compromettre votre perte de poids.

À RETENIR

Évitez de vous laisser aller dans une tenue vestimentaire relâchée à table. Il ne s'agit pas de mettre une robe de soirée ou un costume trois pièces mais une tenue adaptée qui ne soit pas lâche au niveau de l'estomac.
La ceinture serrée rappelle qu'il n'y a plus de place pour se re-servir...

Commencer
chaque repas
par un bol de soupe

Commencer tous vos repas par un bol de soupe permet tout simplement d'arriver au seuil de satiété plus rapidement et donc de moins manger ensuite. Des études ont démontré que vos portions seront spontanément diminuées de 20 %.

• L'idéal est de prendre un bol de soupe un quart d'heure avant de passer vraiment à table (le temps de dresser le couvert et de faire chauffer le reste du repas – et de laisser à votre cerveau le temps de faire apparaître la sensation de rassasiement).
• Ceci est valable quelque soit le type de soupe. Cependant, puisque vous voulez perdre du poids, privilégiez les soupes pauvres en matières grasses.
• Si vous souhaitez agrémenter votre soupe par du fromage râpé, évitez le laitage en fin de repas afin de ne pas déséquilibrer votre menu.

• Si votre soupe contient des féculents (pâtes, pommes de terre), n'en remangez pas lors du repas qui suit pour la même raison.
• Ne réservez pas les soupes à l'hiver. Il en existe d'excellentes qui se consomment froides, voire même glacées pour l'été.

• N'oubliez pas ce bol de soupe quand vous devez déjeuner ou dîner à l'extérieur. Prenez-le avant de partir, il vous permettra d'avoir moins faim en arrivant au restaurant ou chez vos amis et donc de limiter les grignotages de l'apéritif.

À RETENIR

Le principe du bol de soupe avant le repas est d'obtenir un rassasiement plus rapide. Pour profiter au maximum de cet « effet soupe », il est donc important d'être attentif aux signaux de satiété que le corps envoie et surtout de les respecter.

Manger équilibré

Lorsqu'on souhaite perdre du poids, il est conseillé de manger équilibré. Qu'est-ce que cela veut dire en pratique ?

5 TYPES D'ALIMENTS INDISPENSABLES

Il existe une règle simple : les aliments sont classés en 5 grandes familles (6 avec le sucre rapide mais il n'est en rien indispensable, contrairement aux aliments des autres familles), qui doivent toutes être représentées dans vos menus quotidiens, dans des quantités variables selon la famille concernée.

• Les fruits et les légumes.
• Les féculents (notez que les légumes secs contiennent en plus des protéines et des sels minéraux).
• Les protéines (c'est-à-dire la viande, les œufs, le poisson).
• Les laitages : attention, la crème fraîche, le beurre et les desserts lactés tels que les crèmes desserts ne doivent pas être classés ici, car trop riches en graisse et/ou en sucre.
• Les matières grasses : en petite quantité, elles sont nécessaires à l'organisme.

Remarque : le verre de jus de fruit qui figure ici parmi les fruits est constitué de fruits frais pressés ; les jus de fruits du commerce sont trop sucrés pour figurer à cet étage de la pyramide.

Manger des protéines, bien sûr !

La famille des protéines comprend la viande, les œufs et le poisson. Elles sont indispensables à la fabrication, au renouvellement et au fonctionnement de nos cellules.

QUELLES QUANTITÉS RETENIR ?

• Une portion de protéine = 150 grammes de viande, 200 grammes de poisson ou 2 œufs.
• En règle générale, une seule portion quotidienne suffit, sachant qu'elle sera automatiquement complétée par d'autres sources de protéines telles que les produits laitiers et les féculents (surtout les légumes secs).
• Mais en période de perte de poids, il est nécessaire de mettre au menu deux portions de protéines par jour afin d'éviter la perte de muscles. De plus, les protéines ont un fort pouvoir rassasiant, toujours utile dans ces cas-là !

FAITES BIEN VOTRE CHOIX

Attention ! Toutes les sources de protéines ne sont pas équivalentes en termes de graisses cachées. Ainsi, soyez attentif dans votre choix.

• Les œufs sont peu gras, riches en protéines, donc très intéressants. Cependant, si vous souffrez d'hypercholestérolémie, ne dépassez pas 2 œufs par semaine. Tous les modes de cuisson (à la coque, poché, dur ou au plat) sont équivalents tant que vous utilisez une poêle antiadhésive sans matières grasses pour les œufs au plat.

• Les poissons, même gras comme le saumon, sont à intégrer dans vos repas au minimum trois fois par semaine. En effet, riches en protéines, ils sont en fait pauvres en matières grasses et apportent des acides gras cardio-protecteurs.

• Les crustacés et les fruits de mer nature peuvent être consommés à volonté tant ils sont pauvres en graisses (c'est la mayonnaise qu'il faut bannir).

• Quant à la viande, le taux de matières grasses est très différent selon les animaux dont elle est issue et selon les morceaux. Choisissez bien entendu les morceaux les plus maigres (voir pp.40-41).

Bien choisir...

MATIÈRE GRASSE (%)	SUPÉRIEURE À 15 %	ENTRE 15 % ET 10 %
BŒUF		Côtes, entrecôte, basse côte, plat de côtes
VEAU		Longe, côte-filet, flanchet, côte 1re et 2de, tendron, poitrine, côte découverte, épaule et collier
AGNEAU	Côtes, collier	Selle, gigot entier, filet, épaule et poitrine
PORC	Épaule, côte	
POULET		Haut de cuisse

ses morceaux de viande

INFÉRIEURE À 10 %	INFÉRIEURE À 6 %
Onglet	Gîte, rond de gîte, gîte à la noix, rumsteck, filet, faux-filet, bavette, collier, macreuse à bifteck et à pot-au-feu, paleron, jumeau à bifteck et à pot-au-feu
Quasi	Noix, sous-noix, noix pâtissière, filet, jarret
Gigot raccourci	
Filet mignon, jambon cuit	
Blanc	

Manger des féculents, mais si !

La famille des féculents comprend les pâtes, le riz, le blé, la semoule, le boulgour, le quinoa, le pain mais aussi tous les légumes secs comme les pois chiches, les lentilles, les haricots blancs ou rouges, les flageolets...

Ce sont des aliments extrêmement importants dans notre alimentation car ils apportent à notre organisme l'énergie nécessaire à nos activités quotidiennes, qu'elles soient physiques ou intellectuelles. Aussi, les féculents doivent être présents à tous les repas mais en quantité raisonnable (quelques cuillères à soupe ou un quart d'assiette) et avec un assaisonnement diététique, comme par exemple une sauce tomate faite maison.

• Prenez exemple sur les plats traditionnels (couscous, plats africains ou d'Amérique du Sud) et mélangez les féculents aux légumes : vous aurez alors un plat très diététique.

À RETENIR

Supprimer les féculents lorsqu'on souhaite perdre du poids est courant.

Pourtant, c'est une énorme erreur ! En effet :

• sans féculent, la satiété est réduite et les fringales que vous ne manquerez pas d'avoir entre les repas entraîneront des grignotages souvent beaucoup plus caloriques que les féculents que vous avez supprimés ;

• lorsqu'on supprime les féculents durant une période prolongée, la réintroduction de ceux-ci dans l'alimentation provoque bien souvent une reprise de poids rapide et importante.

• Préférez le riz ou les pâtes complets ou semi-complets ou les légumes secs. En ce qui concerne le pain, évitez les baguettes de farine blanche et préférez les pains complets ou aux céréales, beaucoup plus riches en fibres.

Manger 5 portions de fruits et légumes par jour

C'est la recommandation du Plan National Nutrition Santé (PNNS) qui, lancé en 2001, a pour objectif d'améliorer la santé des Français en agissant sur leurs habitudes alimentaires et leur activité physique, c'est-à-dire... sur leur poids. Au fil des années, il y aura le PNNS 2 puis le PNNS 3 lié au « plan Obésité ». Certains de ses slogans nous sont devenus très familiers : « mangez 5 fruits et légumes par jour » par exemple. C'est un très bon conseil pour perdre du poids, mais son application

À RETENIR

1 verre de jus de fruit le matin et 1 fruit à chaque repas + 1 demi-assiette de légumes cuits ou crus à chaque repas, et le compte est bon !

n'est pas toujours évidente : c'est quoi une portion de fruit ? Et de légumes ? Et si on n'a pas de temps pour faire le marché ou cuisiner ?

QU'EST CE QU'UNE PORTION ?

• Une portion de fruit équivaut au volume d'une grosse pomme. Attention, un verre de jus de fruit, même 100 % fruit, ne peut constituer qu'une seule portion quotidienne : au-delà, l'apport en sucre rapide serait trop important.

• Une portion de légumes correspond à environ 200 grammes : remplissez à chaque repas la moitié de votre assiette avec des légumes (cuits ou crus) et vous aurez consommé deux portions de légumes dans la journée.

EN PRATIQUE

• S'il est trop difficile pour vous d'arriver d'un coup à ces 5 portions quotidiennes, ajoutez chaque jour à votre consommation habituelle un fruit ou un légume. C'est toujours ça de gagné !

• Les légumes surgelés permettent de gagner du temps et bien souvent de l'argent. Ne les boudez pas. Par ailleurs l'intérêt de cette consommation importante de végétaux passe aussi par l'augmentation de la consommation de fibres et de vitamines qu'elle sous-entend. Mais pour cela il est nécessaire de savoir choisir, conserver et cuisiner les fruits et les légumes.

BIEN EXPLOITER LES QUALITÉS NUTRITIONNELLES DES FRUITS ET LÉGUMES

Les légumes (et les fruits) peuvent être consommés cuits ou crus, cependant, c'est lorsqu'ils sont crus qu'ils conservent au maximum leurs vertus (meilleure préservation des vitamines et des sels minéraux). Mais il n'y a pas que cela qui importe.

• Mettez régulièrement au menu les plus colorés, ce sont les plus riches en vitamines et en antioxydants : fruits rouges, tomates, poivrons...

• Consommez souvent des choux, ils contiennent de puissants anticancéreux.

• Si vous prenez des fruits et des légumes issus de l'agriculture bio, ne les épluchez pas : les vitamines sont souvent situées juste sous la peau et celle-ci est riche en fibres. Si vous devez les éplucher, utilisez un économe (épluchures plus fines).

• Privilégiez les fruits et légumes de saison : pas de tomates, de courgettes, d'aubergines, de cerises ou de fraises en hiver !

• Quelle que soit l'origine de vos fruits et légumes, évitez de les acheter longtemps à l'avance et choisissez ceux qui ont le moins voyagé.

• Conservez-les au frais et à l'abri de la lumière.

• Lavez-les brièvement sans les laisser tremper.

• Évitez les cuissons dans l'eau. Préférez les cuissons à la vapeur. Ou bien faites un bouillon avec l'eau de cuisson : après une cuisson prolongée dans l'eau, les vitamines et les sels minéraux ne sont plus dans le légume, mais dans le bouillon !

• Respectez les temps de cuisson prévus.

• N'hésitez pas à utiliser des légumes surgelés : traités immédiatement après récolte, ils sont souvent plus riches en vitamines que certains légumes frais qui ont traîné sur des étals.

À SAVOIR

N'oubliez pas que la consommation régulière de 5 fruits et légumes par jour permettrait une réduction significative des cancers et des maladies cardio-vasculaires.

Manger des fruits en quantité raisonnable

Les fruits sont riches en vitamines et en fibres, et donc très bénéfiques pour notre santé. Cependant, ils sont aussi riches en fructose, donc en sucre : par conséquent, si vous souhaitez perdre du poids, n'en abusez pas.

• Prenez-en une portion à chaque repas : une portion de fruit correspond au volume d'une belle pomme. Aussi, si vous choisissez des petites clémentines vous pourrez en manger deux ou trois.

• Méfiez-vous tout particulièrement des cerises et du raisin qui sont des fruits qui incitent au grignotage... Mangez-les comme les autres fruits, au moment du repas et non en grignotage permanent tout au long de la journée !

Les fruits peuvent être consommés également sous forme de fruits secs (abricots, figues, bananes), mais alors attention à leur apport calorique. Respectez l'équivalence en nombre car leur apport calorique est identique au fruit frais d'origine :

À RETENIR

- Attention au raisin et aux cerises, qui favorisent le grignotage.
- Fruit sec : même apport calorique qu'un fruit frais, mais plus petit, donc à consommer avec modération.
- Noisettes, noix, amandes : une dizaine par jour, mais pas plus !

un abricot sec apporte les mêmes calories qu'un abricot frais, cependant il est beaucoup plus petit – vous aurez donc tendance à en manger plus !

Les oléagineux (noisettes, noix, amandes...) sont classés aussi dans les fruits secs : ils sont certes un peu plus caloriques, mais intéressants d'un point de vue nutritionnel. En effet, ils sont notamment très riches en fibres et en magnésium, ce qui facilite le transit et évite les fringales (intéressant en période de perte de poids). N'hésitez donc pas à en manger une dizaine (pas plus !) par jour.

Se méfier du fromage

... ET SAVOIR LE CHOISIR

Le fromage est une excellente source de calcium, mais il est aussi riche en matières grasses. Par conséquent :

• Consommez une seule portion de fromage par jour, de préférence le matin ou à midi.

• Une portion de fromage est l'équivalent d'un huitième de camembert, ce qui représente environ 30 grammes.

• S'il vous est impossible de vous arrêter après la première portion, optez plutôt pour l'option « zéro

À RETENIR

Les fromages allégés en matières grasses présentent un intérêt car, bien entendu, ils sont moins gras... Mais souvent moins bons.
Et attention de ne pas en manger deux fois plus sous prétexte qu'ils sont moins caloriques !

fromage » au quotidien, et offrez-vous un repas exclusivement composé d'excellents fromages et de salade verte une fois par mois. Soyez cependant vigilant à n'acheter alors que la quantité nécessaire pour un repas afin qu'il n'y ait pas de restes.

Tous les fromages ne sont pas équivalents en matières grasses, donc en calories.

SACHEZ PRIVILÉGIER LES MOINS GRAS

• Cancoillotte = 2,6 grammes de lipides pour 1 portion de 30 grammes
• Brousse = 4 grammes de lipides pour 1 portion de 30 grammes
• Chavroux = 5 grammes de lipides pour 1 portion de 30 grammes

... ET ÉVITER LES PLUS RICHES !

• Roquefort = 10 grammes de lipides pour 1 portion de 30 grammes
• Caprice des Dieux = 10 grammes de lipides pour 1 portion de 30 grammes
• Emmental = 9 grammes de lipides pour 1 portion de 30 grammes

Cuisiner moins gras

Bien qu'indispensables pour la santé, les matières grasses doivent être réduites lorsqu'on souhaite perdre du poids.

Il est important de conserver l'équivalent d'une cuillère à soupe d'huile par repas en privilégiant les huiles d'olive, de colza, de noix. Idéalement, ces huiles doivent être réservées à l'assaisonnement des crudités afin d'être consommées crues.

Pour en limiter les quantités :
• Diluez vos vinaigrettes avec de l'eau. En effet, dans la vinaigrette, ce sont les aromates, le vinaigre et la moutarde qui donnent de la saveur. L'huile permet d'avoir suffisamment de sauce pour assaisonner toutes les feuilles de salade et pour « véhiculer » les saveurs des aromates. Aussi, faites votre sauce avec une seule cuillère à soupe d'huile et autant d'aromates que nécessaire et ajoutez progressivement de l'eau tout en fouettant avec une fourchette : vous obtiendrez une sauce émulsionnée, un peu comme une mayonnaise !

Ensuite, il faut s'efforcer de cuisiner sans matière grasse. Pour cela il existe plusieurs astuces :

• utilisez un pinceau à pâtisserie ou un vaporisateur à huile pour déposer seulement quelques gouttes d'huile au fond de votre poêle, afin que les aliments dorent sans attacher ;

• privilégiez les cuissons au four, en papillote, au cuit-vapeur, dans lesquelles vous mettrez des herbes, des épices, de la moutarde... pour relever le goût ;

• remplacez chaque fois que possible la crème fraîche prévue dans vos recettes par du fromage blanc ou du lait.

À RETENIR

Si vous prenez du beurre au petit déjeuner, limitez-vous à l'équivalent d'une noix.

Sortez-le la veille du réfrigérateur afin qu'il soit mou et donc plus facile à tartiner (vous en mettrez moins sur votre pain !).

Faire la chasse
aux matières grasses
cachées

Les matières grasses cachées sont celles qui se trouvent dans les aliments sans que vous en soyez conscient. Par exemple, saviez-vous qu'il y a autant de matières grasses dans certains cookies que dans du saucisson ?
Or, ces matières grasses sont d'autant plus nuisibles que nous les absorbons à notre insu. Notre régulation naturelle ne peut donc pas s'exercer.

APPRENDRE À DÉCHIFFRER LES ÉTIQUETTES

Pour traquer ces matières grasses qui sont souvent de mauvaise qualité, il est indispensable de savoir lire les étiquettes.
• Repérez la teneur en lipides, et regardez l'unité dans laquelle elle est indiquée : c'est souvent pour 100 grammes de produit. Il faut alors la rapporter à la quantité d'aliment que vous vous apprêtez à manger.

• Ayez en tête un ordre de grandeur afin de pouvoir juger si le produit est trop gras ou non : pour cela, rappelez-vous simplement que 10 grammes de lipides, c'est l'équivalent d'une petite plaquette individuelle de beurre telle qu'on en sert dans les restaurants.

• Posez-vous alors la question de la pertinence de la teneur en lipide de ce que vous allez manger.

UN EXEMPLE

Un plat tout prêt de 300 grammes de gnocchis de pommes de terre aux épinards et aux trois fromages.

• Teneur en lipides annoncée sur l'étiquette : 23 grammes pour 100 grammes. Comme le plat pèse 300 grammes, il faut multiplier par 3, soit 69 grammes de lipides dans votre assiette.

• 69 grammes de lipides correspondent à environ 7 plaquettes individuelles de beurre ! Qu'en pensez-vous ?

Garder le goût
sans le gras

Utiliser moins de matières grasses pour cuisiner peut se traduire par la confection de plats nettement moins savoureux, ce qui à court ou moyen terme risque d'entraîner une démotivation du candidat à l'amaigrissement.

Or, afin d'obtenir des résultats durables il est nécessaire de modifier définitivement ses habitudes alimentaires. Il est donc indispensable de trouver une nouvelle façon de cuisiner à la fois diététique et source de plaisir.

À SAVOIR

Attention ! Les aides culinaires sont souvent salés. Méfiez-vous si vous devez supprimer le sel de votre alimentation pour raison médicale.

UTILISER CERTAINS CONDIMENTS
POUR CUISINER MOINS GRAS

Il est envisageable de recourir à certains produits proposés par l'industrie agroalimentaire (une fois n'est pas coutume !). À retenir parmi ces « aides culinaires » :

• Les bouillons cubes. Leur apport calorique est très faible et ils permettent d'éviter bien souvent de rajouter de la matière grasse.

• Les fonds de sauce. Utilisés en toute petite quantité, ils n'augmentent pas vraiment la valeur calorique de votre plat mais le rendent nettement plus savoureux.

• Les cornichons, câpres, etc. Très peu caloriques, ils permettent de relever le goût de certaines salades ou même de remplacer des grignotages plus caloriques.

• Certaines moutardes. Attention néanmoins, la teneur en matières grasses des différentes moutardes peut être multipliée par 20 selon les marques : comparez avant d'acheter !

• Certains ketchups. Le ketchup est toujours très peu gras. Cependant, certaines marques proposent un ketchup très sucré à éviter.

Éviter certains condiments trop caloriques

Certains condiments et autres « aides culinaires » peuvent être utilisés sans augmenter pour autant la valeur calorique d'un plat. Mais, il en existe d'autres plus caloriques qui doivent donc être évités :

• La mayonnaise. Une cuillère à soupe de mayonnaise contient 80 % de matières grasses, autant qu'une cuillère à soupe de beurre... Il existe des mayonnaises allégées qui en contiennent beaucoup moins, mais n'en consommez pas deux fois plus !

• Les croûtons. La teneur en matière grasse de ces petits morceaux de pains déjà grillés que l'on ajoute à une salade ou à une soupe est très élevée : 100 grammes de croûtons contiennent entre 35 et 40 grammes de graisses, soit l'équivalent de 4 petites plaquettes de beurre format individuel !!!

• Certaines sauces toutes prêtes. Là aussi, la teneur en graisses est très variable et il faut prendre la peine de comparer les étiquettes.

Se méfier des produits allégés

Les divers allégés qui ont envahi nos supermarchés nous promettent le plaisir sans les calories. Mais il a été démontré que la consommation de produits allégés en graisses entraînait une augmentation inconsciente des apports alimentaires de la journée, si bien qu'au total les consommateurs d'allégés mangent souvent plus que les autres !

Un produit fait exception : le lait demi-écrémé. On peut donc en consommer régulièrement. Cependant, le lait reste un aliment et non une boisson, et il apporte des calories, même demi-écrémé, et ne doit donc pas remplacer l'eau.

À RETENIR

Il vaut mieux consommer le produit d'origine en petite quantité mais en y prenant du plaisir, que le produit homologue allégé, frustrant par son goût fade !

Utiliser le sel avec modération

Le sel fait partie intégrante de notre alimentation. Il est présent sur notre table (30 % de notre consommation) mais aussi, et surtout (70 % de notre consommation), dans les plats industriels que nous achetons, dans les charcuteries, le pain...

Outre son implication de plus en plus probable dans bon nombre de maladies (les maladies cardio-vasculaires, l'ostéoporose ou même certains cancers), le sel est aussi un frein à l'amincissement en favorisant la rétention d'eau et la cellulite.

COMMENT DIMINUER VOTRE CONSOMMATION DE SEL ?

• Évitez au maximum tous les aliments industriels (plats préparés, soupes, charcuteries, chips), et si vous êtes obligés d'y recourir, choisissez ceux dont les recettes ont été allégées en sel.
• Évitez également les aliments à goût sucré mais à forte teneur salée, tels que les viennoiseries,

certains biscuits secs, certaines céréales du petit déjeuner (à part le muesli peu salé), voire certains sodas.
• Évitez les eaux minérales gazeuses les plus riches en sel.

À RETENIR

. . . .

Donnez-vous le temps de vous déshabituer du goût salé : comme pour le sucre, le sel est une habitude.

Diminuez progressivement votre consommation et peu à peu vous apprécierez les aliments moins salés.

• Ne laissez pas votre salière sur la table : vous seriez tenté de resaler sans même goûter ce que vous avez dans l'assiette !
• Préférez les épices et les herbes aromatiques pour donner du goût à vos plats.

Renoncer à finir les restes !

Pour certains d'entre nous, il est inenvisageable de jeter de la nourriture. Dès lors, finir son assiette, voire le plat, devient une tentation incontournable et ce, quel que soit le degré de rassasiement atteint. Or, ces aliments mangés sans faim vont peu à peu constituer cet excédent calorique que le corps stocke sous forme de graisses.

ALORS QUE FAIRE ?

• Veillez à ne pas cuisiner plus que nécessaire ; respectez notamment les quantités par personne conseillées sur les emballages, du riz, des pâtes, par exemple.

À RETENIR

N'oubliez jamais que vous n'êtes pas une poubelle :
le gâteau entamé par votre enfant puis abandonné sur un coin de la table du salon est destiné à la poubelle, pas à vous !

• Utilisez la congélation, même pour de toutes petites quantités : congelez le pain en tranches, que vous sortirez une à une et que vous décongèlerez rapidement au grille-pain ; congelez les petits restes que vous mélangerez plus tard à des féculents ou à des légumes pour en augmenter la quantité ou que vous mangerez un jour où vous serez seul.

• Pensez, avant de vous resservir pour finir le plat, combien vous apprécierez de ressortir ces restes congelés dans quelques temps, un soir où vous n'aurez rien préparé. Il y a fort à parier que ce plaisir sera supérieur à celui ressenti en vous resservant alors que vous n'avez plus faim !

• Si vous ne pouvez pas congeler, gardez vos petits restes pour le lendemain. Il y a toujours moyen de les incorporer dans un autre plat : un morceau de viande cuit et mixé fera la base d'un hachis parmentier ; quelques cuillères de riz compléteront des champignons de Paris ; ajoutée à des œufs battus une pomme de terre fera une très bonne « tortilla »...

Faire ses courses de façon optimale

Aller au supermarché est aujourd'hui un rituel hebdomadaire autant qu'une nécéssité car on n'a pas toujours de petits commerces à portée de pas.

Mais lorsqu'on veut perdre du poids, il faut connaître quelques astuces pour éviter les achats impulsifs qui favorisent les grignotages.

• Commencer systématiquement par faire une liste de ce dont on a besoin, après avoir établi les menus de la semaine et vérifié le contenu des placards. Vous éviterez ainsi de racheter des produits que vous avez déjà, au risque ensuite d'ailleurs de les gaspiller.

• Toujours faire ses courses APRÈS le repas, c'est-à-dire en étant pleinement rassasié, et jamais avant. Les rayons sont constitués par des spécialistes du marketing dans le but de vous faire acheter le maximum de produits ; votre résistance à leurs techniques de vente sera d'autant plus forte que vous n'aurez vraiment pas faim.

• Ne pas passer dans les rayons qui sont source de tentations : gâteaux, bonbons, etc. En principe, vous n'avez rien à y acheter !

• Éviter les produits déjà cuisinés, généralement trop riches, trop gras, trop salés... ; privilégiez les aliments simples que vous préparerez ensuite chez vous.

À SAVOIR

Il existe de plus en plus d'enseignes qui préparent vos courses après une commande sur internet. Vous allez ensuite les retirer au magasin ou bien elles sont livrées directement chez vous. Intéressez-vous à ce service qui permet de gagner du temps, mais aussi de l'argent puisque vous n'achetez que ce dont vous avez réellement besoin.

Bien remplir son placard et son congélateur

Lorsqu'on souhaite changer ses habitudes alimentaires, il y a toujours des situations à risque. Par exemple, le soir où vous rentrez tard, fatigué(e) et que rien n'est prêt pour le dîner. La tentation est alors très forte de commander des pizzas, de s'arrêter au fast-food du quartier ou de passer prendre en vitesse un plat industriel tout prêt au supermarché. Afin d'éviter ce piège qui, répété trop souvent, compromettra votre perte de poids, voici quelques aliments à avoir sous la main pour préparer rapidement un repas diététique.

DANS VOTRE PLACARD

- Des boîtes de thon.
- Des boîtes de haricots verts, de cœurs de palmier.
- Des briquettes de soupe, des sachets de soupes déshydratées.
- Des sachets de céréales à réchauffer au micro-ondes.

• Des boîtes de dés de tomates.
• Des paquets de riz, de pâtes et de légumes secs (lentilles...).

DANS VOTRE CONGÉLATEUR

• Du poisson nature surgelé (pavé de saumon, dos ou filet de cabillaud, etc.).
• Des sacs de légumes nature (haricots verts, brocolis, carottes en rondelles...).
• Des poêlées de légumes non cuisinées.

Et voici 2 exemples de repas rapides et légers :
• Pendant que vous mettez une poêlée de légumes et un sachet de céréales à chauffer dans une poêle, faites cuire du saumon surgelé au micro-ondes quelques minutes.
• Faites chauffer des tomates en dés et plongez-y des carrés de poisson blanc surgelé. Laissez-les cuire, et ouvrez une boîte de haricots verts que vous rajouterez en fin de cuisson au poisson pour les réchauffer dans la sauce tomate.
Vous pouvez commencer ces deux repas par une soupe toute prête et compléter le deuxième repas par des pâtes ou du riz, mais les féculents sont un peu plus longs à cuire.

Apprendre à gérer
ses émotions négatives

Les émotions négatives, la tristesse, la colère, le dépit, la frustration, amènent fréquemment à manger de façon excessive. La prise alimentaire a alors pour but non pas de calmer la faim mais plutôt de se faire du bien, de se consoler... À court terme en tout cas, car bien souvent ensuite la culpabilité d'avoir mangé sans faim prend le dessus et déclenche une nouvelle envie de manger.

À RETENIR

Il est parfois difficile de mener tout seul ce combat. Aussi n'hésitez pas à consulter un thérapeute qui vous aidera à « accueillir » vos émotions et à les gérer autrement qu'en absorbant de la nourriture.

Il est important de prendre conscience de ce cercle vicieux afin de pouvoir plus facilement le rompre.

• Apprenez à reconnaître vos « prises alimentaires de consolation ». Notez soigneusement dans un carnet pendant une quinzaine de jours tout ce que vous mangez (même les plus petites choses grignotées au fil de la journée, y compris et surtout en dehors des repas). Et notez en regard votre ressenti émotionnel du moment.

• Efforcez-vous de faire suivre la prise alimentaire de consolation par une pensée positive (« voilà, je me suis fait plaisir avec ce chocolat ; maintenant, j'essaie de trouver une solution à mon problème ») et non par de la culpabilité (« je suis nulle d'avoir mangé du chocolat alors que je veux maigrir »). Car ce serait là une nouvelle pensée négative qui risque donc d'entraîner une nouvelle prise alimentaire de consolation.

Ne pas grignoter !

Vous grignotez lorsque vous mangez sans avoir faim, machinalement, en dehors des repas, de petites quantités à la fois, bien souvent en faisant autre chose. Dans ces conditions, les aliments absorbés le sont en quelque sorte à l'insu de votre système de régulation alimentaire, qui ne peut alors fonctionner correctement. La prise de poids est inévitable.

ALORS, COMMENT FAIRE ?

• Tout d'abord manger correctement aux repas : il est plus facile de ne pas grignoter lorsqu'on n'a pas faim.

• Ne pas oublier de goûter ! La plupart des grignotages ont lieu en fin d'après-midi, en rentrant du travail ou pendant la préparation du repas du soir. Ils disparaissent

À RETENIR

La suppression des grignotages suffit très souvent pour obtenir une perte de poids.

souvent totalement si l'on fait un goûter léger. Rassurez-vous, un tel goûter est moins calorique que les grignotages qu'il évite, et comme il est pris en toute connaissance de cause, le système de régulation alimentaire fonctionne et les apports du dîner sont alors réduits, ce qui n'est pas le cas après des grignotages.

• Ne pas acheter d'aliments qui favorisent le grignotage : biscuits, bonbons, etc.

• Éviter de regarder la télévision le ventre vide ou avant les repas : les nombreuses publicités vantant les mérites d'aliments propices aux grignotages vont vous donner de mauvaises idées !

• Apprendre à gérer ses émotions négatives, elles sont souvent à l'origine de grignotages « de stress ».

Savoir stopper
un grignotage

Nous avons vu comment éviter de grignoter. Mais si vous n'y êtes pas arrivé et si vous avez commencé un paquet de bonbons, de gâteaux ou de chips ? Ne désespérez pas et apprenez à stopper les grignotages que vous n'avez pas réussi à éviter.

• Allez-vous brosser les dents. Si c'est impossible, rincez-vous longuement la bouche avec de l'eau. Sachez que le goût sucré ou salé dans la bouche entretient l'envie de remanger quelque chose.
• Ne prenez pas avec vous, dans le salon par exemple, le paquet de chips ou de gâteaux secs. Laissez-le dans le placard et n'en prenez qu'un à la fois, ainsi vous serez obligé de vous lever et d'aller à la cuisine à chaque fois. Ou vous renoncerez à poursuivre ces allers-retours...
• Imposez-vous au moins un rythme, montre en main : un biscuit par quart d'heure, pas plus. À vous de le faire durer ou de patienter.
• Jetez à la poubelle ce qui vous reste à grignoter.

• Faites quelque chose qui occupe vos mains : tricot, dessin, peinture, mettez vous du vernis à ongle...
• Téléphonez à un ami (on ne parle pas la bouche pleine !).
• Allez prendre un bain ou une douche chaude.
• Sortez de la maison, allez vous promener une demi-heure.

Il y a certainement d'autres trucs que vous pourrez trouver tout(e) seul(e) : réfléchissez-y...

À SAVOIR

Si malgré tous vos efforts, vous ne pouvez vous empêcher de grignoter, pensez aux sucettes sans sucre : le fait d'avoir dans la bouche un bonbon qui fond lentement va limiter l'envie de grignoter autre chose de finalement plus calorique. C'est un truc particulièrement efficace pour les ex-fumeurs !

Gérer ses envies de sucre

Peut-être faites-vous partie de ces personnes qui ressentent à certains moments de fortes envies de sucre auxquelles il leur est très difficile de résister. Bien évidemment, ces pulsions sucrées sont un frein non négligeable à la perte de poids.

Alors que faire ? En réalité, cela dépend du type d'envie sucrée que vous éprouvez.

• Envie de chocolat ? C'est souvent un manque de magnésium, qui pousse l'organisme vers les aliments qui en sont riches, comme le chocolat. Faites donc une cure de magnésium.

• Le « coup de pompe », qui nécessite du sucre pour disparaître ? Parfois, la consommation excessive de sucres rapides provoque une sécrétion disproportionnée d'insuline qui entraîne en retour une chute de la teneur en sucre du sang : c'est le « coup de pompe », parfois proche du malaise. La meilleure façon de l'éviter est de limiter au maximum la consommation de sucres rapides, tels que le sucre pur, les bonbons, les gâteaux, le pain blanc, les pâtes et le riz blanc (à remplacer par des féculents complets ou semi-complets), les jus de fruits...

• Certaines envies de sucre sont dues à la frustration induite par un régime de type restrictif par exemple. Rappelez-vous qu'un aliment est d'autant plus désirable qu'il est interdit ! Alors soyez souple et ne jouez pas aux aliments interdits...

À RETENIR

Sachez que le sucre appelle le sucre : plus vous mangerez sucré, plus vous aurez envie de sucre. Aussi, faites un « sevrage » : arrêt total du sucre pendant 48 heures. Vous verrez que l'envie aura bien diminuée ensuite.

Apprécier
le chocolat

Aliment-plaisir par excellence, le chocolat a une place toute particulière dans notre culture. Longtemps paré de vertus médicinales, il reste aujourd'hui un aliment un peu à part, tout à la fois craint et adoré.

Le chocolat est décliné dans un nombre infini de produits : en poudre, sous forme de bonbons, noir, au lait, aromatisé, enrichi de noisettes, de fruits secs, en bouchées, etc.

Lorsqu'on souhaite perdre du poids le chocolat devient souvent un ennemi tentateur. C'est une erreur !

• Ne vous interdisez pas le chocolat. Vous en deviendriez encore plus friand !

• Il est inutile de privilégier le chocolat noir si c'est celui au lait que vous préférez. Ils apportent autant de calories l'un que l'autre.

• Déterminez le moment de la journée où le chocolat vous fait le plus plaisir et autorisez-vous

À RETENIR

Redonnez au chocolat le statut qu'il avait avant l'essor de la société de consommation : un aliment de luxe, dont on savourait la moindre miette et qu'on consommait avec parcimonie— et il ne sera pas un obstacle à votre perte de poids !

à ce moment-là deux à trois carrés d'un chocolat de qualité.

• Savourez-les, laissez-les fondre lentement dans votre bouche, concentrez-vous sur les sensations agréables ressenties.

• Rappelez-vous que si vous culpabilisez, c'est cette culpabilité-là qui va vous faire grossir en vous faisant manger davantage, et non le chocolat !

• Si vous préférez la pâte à tartiner, sachez qu'elle est l'équivalent du beurre saupoudré de cacao d'antan. Faites-en des tartines si vous voulez, lors du goûter du week-end par exemple, mais dans les mêmes proportions que le beurre.

Supprimer
les boissons sucrées

Pour notre cerveau, l'unique boisson reconnue est l'eau pure, qui n'apporte aucune calorie, tout en étant indispensable à notre survie. Aussi, lorsque nous buvons des boissons sucrées, donc caloriques, la régulation alimentaire ne s'exerce pas, et ce sont d'autres calories qui s'ajoutent ainsi à celles consommées sous forme solide.

De plus, la forte teneur en sucre de ces boissons font qu'elles sont très peu désaltérantes (par conséquent, vous devez en boire beaucoup pour étancher votre soif) et qu'elles peuvent être à l'origine d'hypoglycémies réactionnelles qui se traduiront par des sensations de malaises. Et pour faire disparaître ce malaise, vous consommerez du sucre. Imaginez l'impact de tout cela sur votre poids !

Par boisson sucrée, on entend : les sodas bien sûr, mais aussi les sirops et les jus de fruits. Sachez que même les jus de fruit « 100 % fruit » peuvent contenir légalement jusqu'à 50 grammes de sucre par litre.

Quand on veut perdre du poids, il est donc capital de supprimer les boissons sucrées au quotidien.

Vous pouvez les remplacer par :
• une eau pétillante aromatisée avec quelques gouttes de citron ;

• de l'Antésite (à éviter toutefois si vous souffrez d'hypertension artérielle) ;

• certaines eaux minérales aromatisées ; leurs qualités nutritionnelles sont très variables, aussi vérifiez qu'elles ne contiennent ni sucres ajoutés, ni édulcorants de synthèse, ni calories ;

À RETENIR
. . . .
La seule boisson indispensable au bon fonctionnement de notre organisme reste l'eau !

• du thé ou du café, bien sûr non sucré.

Se méfier
des sodas « light »

Les sodas light sont des sodas au fort goût sucré mais sans « vrai sucre ». Ils sont sucrés aux édulcorants de synthèse. Ils n'apportent aucune calorie, ce qui est très intéressant lorsqu'il s'agit de perdre du poids, mais ils posent tout de même un certain nombre de problèmes.

En effet, tout dépend de la boisson que vous allez remplacer par du soda light.

• S'il remplace un vrai soda bu à la terrasse d'un café par une chaude après-midi d'été avec des amis, pas de problème, vous économisez des calories tout en vous faisant plaisir et en participant à la convivialité du moment.

• En revanche, si le soda light remplace l'eau, et qu'il est bu à tout moment de la journée, voire même à table lors des repas, il est fortement déconseillé. En effet, bien que non calorique, son goût va renforcer votre appétence pour les aliments sucrés et rendra de plus en plus difficile à tenir vos bonnes résolutions de sevrage du sucre !

GARE AUX SUCRETTES

Gardez en tête que malgré des études contradictoires, il reste un doute sur l'innocuité totale des édulcorants de synthèse. Votre démarche de perte de poids s'inscrivant sûrement dans une démarche d'amélioration de votre santé, il serait donc logique d'appliquer un principe de précaution vis-à-vis de ces édulcorants, surtout si vous êtes enceinte.

Quant au thé, au café et aux infusions, vous pouvez en boire à volonté lors d'un régime, à condition qu'ils ne soient pas sucrés. Si vous avez l'habitude de les sucrer avec des sucrettes, réduisez alors votre consommation.

Méfiez vous également des boissons chaudes des distributeurs qui sont toujours très sucrées. Mieux vaut les prendre nature. Et si vous ne pouvez les boire ainsi, rajoutez plutôt un (vrai) demi-sucre.

Ne pas boire d'alcool

L'alcool est le grand ennemi des régimes (et de la santé !). En effet, outre ses effets délétères sur l'organisme (même en petite quantité), il présente de gros inconvénients.

• Il est très calorique, et les calories apportées par l'alcool sont des calories « vides », cela signifie qu'elles ne sont pas utilisées par l'organisme : leur seul devenir est d'être... stockées !!

• L'alcool favorise également le stockage des graisses absorbées pendant le repas.

ALCOOL	DOSE	CALORIES
Vin rouge (10°)	1 verre : 15 cl	86
Vin rosé (11°)	1 verre : 15 cl	101
Vin blanc (11°)	1 verre : 15 cl	110
Cidre brut	1 verre : 25 cl	80
Porto	1 verre : 10 cl	160
Champagne	1 coupe : 16 cl	120
Bière (4-5°)	1 demi : 25 cl	103
Bière sans alcool (< 1,2°)	1 demi : 25 cl	65
Pastis	1 dose : 4 cl	109
Vodka, Rhum, Gin	1 dose : 4 cl	94
Whisky	1 dose : 4 cl	96

• Sa consommation est souvent associée à de nombreux aliments très caloriques comme les chips, les cacahuètes ou le fromage... Quand on sait que l'alcool ouvre l'appétit, on comprend mieux pourquoi il est si difficile de résister aux gâteaux d'apéritif !

ET DANS LES GRANDES OCCASIONS ?

Dans certaines circonstances festives, vous pouvez bien sûr vous permettre de boire un peu d'alcool, à condition de ne pas en abuser.

• Évitez les apéritifs à base d'alcool fort (whisky, vodka, rhum), d'autant plus redoutables qu'ils sont souvent mélangés à des jus de fruits. Préférez un verre de vin, ou une coupe de champagne...

• À table, prenez ou demandez deux verres, l'un pour l'eau et l'autre pour le vin. Ainsi, vous ne boirez du vin que pour le plaisir, et l'eau sera là pour étancher votre soif.

• Si vous partagez votre repas avec de joyeux drilles qui « poussent à la consommation » d'alcool, veillez à ne pas laisser remplir votre verre totalement mais seulement à moitié. Ainsi vous pourrez vous servir deux fois pour l'équivalent d'un seul verre.

Savoir recevoir
« diététique » !

Recevoir des amis est un plaisir que vous ne devez évidemment pas vous interdire sous prétexte que vous voulez maigrir. C'est une situation beaucoup plus facile à gérer que d'être soi-même invité.

La première règle est de ne jamais dire à vos convives que le repas que vous allez leur offrir est diététique, afin de ne pas induire d'a priori négatif sur votre cuisine. De même, il serait gênant pour vos invités d'avoir l'impression que vous mangez beaucoup moins qu'eux. Il faut donc prévoir un menu agréable et raffiné qui vous permettra de manger normalement.

Voici quelques suggestions qui ont fait leur preuve :
• À l'apéritif, proposez des légumes crus et des sauces à base de fromage blanc assaisonné d'herbes, d'aromates, de cumin, de curry...
• Faites en entrée une salade de crudités et des fruits de mer (salade verte, crevettes, pamplemousse et tomates cerises ou salade verte et plateau de coquillages). Présentez la sauce (légère) à part.

• Pour le plat principal, choisissez du poisson ou du poulet en papillote accompagné d'une julienne de petits légumes épicés et de riz.
• Ne lésinez pas sur le plateau de fromage, afin de compenser la sensation de « light » du reste du repas : à vous d'être raisonnable et de ne prendre qu'une portion.
• Pour le dessert, offrez une boule de sorbet au citron vert dans une coupe de bon champagne accompagnée d'un petit morceau de gâteau. Le sorbet au champagne vous permet de ne servir qu'une petite part de gâteau. Vos convives pourront alors se resservir s'ils le souhaitent, mais vous ne serez pas obligé de faire de même !

UN CONSEIL

Quand on reçoit et qu'on est au régime, l'apéritif est un moment délicat : veillez à ne pas le laisser trop durer, au risque que tout le monde de toute façon consomme trop, au détriment du vrai (bon) repas qui attend...

Déjouer les pièges
de l'apéritif

Pour ceux qui ont une vie sociale intense, le moment de l'apéritif est toujours risqué. En effet, bien souvent, vous consommez autant de calories à l'apéritif que durant le repas qui va suivre.

Il existe cependant quelques astuces qui permettent de limiter un peu les excès. Évidemment, lorsque c'est vous qui recevez, proposez un apéritif léger, vous ferez sûrement des heureuses !
• Évitez tous les aliments très gras tels que les chips, les cacahuètes et en général la plupart des biscuits d'apéritif traditionnels.
• Préférez-leur si possible les fruits secs, les tomates cerises, les bâtonnets de céleri, carottes, concombre... (éventuellement trempés dans des sauces au fromage blanc), les morceaux de melon ou de pastèque.
• Les mini verrines ont la cote, profitez-en, elles sont souvent à base de légumes.

• Buvez le moins d'alcool possible et de préférence plutôt un verre de vin ou de champagne qu'un whisky ou de la vodka.

• Mieux encore, prenez un jus de tomate, une eau minérale gazeuse aromatisée, voire (pour une fois !) un soda light.

• Asseyez-vous le plus loin possible de la table où sont disposées les victuailles.

• N'oubliez jamais qu'un repas va suivre...

À RETENIR

Vous êtes invité(e) ? Buvez un bol de soupe et mangez un œuf dur avant de partir. Ainsi, vous serez plus à même de résister à la tentation puisque vous n'aurez pas réellement faim en arrivant.

Et si, lorsque vous êtes invité(e), affronter tout cela est trop difficile pour vous, arrangez-vous pour arriver tard, en passant un coup de téléphone à vos hôtes pour demander que, surtout, on ne vous attende pas pour l'apéritif !

Gérer les invitations

Il est parfois difficile de concilier vie sociale et gestion du poids ! Si vous n'êtes invité qu'une fois de temps en temps, il n'y a aucune raison de vous priver. Ces moments de plaisir et de convivialité autour de la table permettent de mieux supporter une alimentation plus rigoureuse le reste du temps ! Mais comment faire si vos amis sont si nombreux que les invitations pleuvent ?

• Méfiez-vous tout d'abord de l'apéritif. Pour mieux résister, mangez avant de partir ! Un œuf dur et un bol de soupe vous éviteront d'arriver affamé chez vos hôtes (voir p. 87).

• Pendant le repas, évitez le pain et veillez à ne pas vous laisser servir de grandes quantités. Ainsi, vous pourrez vous resservir – si l'on insiste !

• Limitez-vous à un verre de vin et n'hésitez pas à demander de l'eau et à en boire fréquemment.

• Entre le fromage et le dessert, faites plutôt l'impasse sur le premier, pour ne pas refuser le gâteau préparé spécialement pour l'occasion par la maîtresse de maison. Il est facile de dire qu'après un si bon repas, on n'a plus vraiment faim !

Savoir gérer ses repas au restaurant

Si vous n'allez pas au restaurant plus d'une fois par semaine, choisissez les plats qui vous font le plus plaisir, mais sachez ne pas continuer à manger au-delà de votre seuil de rassasiement. En revanche, si vous êtes amené à déjeuner ou dîner au restaurant fréquemment, une stratégie s'impose.

LES POINTS CLÉS À RETENIR

• Ne mangez pas de pain (surtout lorsqu'il est sur la table avant que le premier plat ne soit servi !).
• Commandez systématiquement du poisson plutôt que de la viande, et si vous n'aimez pas trop le poisson, du poulet ou un steak grillé.
• Évitez les frites et demandez toujours un double accompagnement (pâtes ou riz ET légumes).
• Ne buvez que de l'eau.
• Ne finissez pas votre assiette si vous n'avez plus faim.
• Remplacez le dessert par un café avec un carré de chocolat.

Faire des sandwichs équilibrés

Il peut arriver que par manque de temps vous soyez parfois dans l'obligation de remplacer votre déjeuner par un sandwich.

Ce n'est pas un problème pour votre poids si ce n'est pas trop fréquent et si vous prenez soin de réaliser vous-même des sandwichs équilibrés en évitant de les acheter tout prêts.

Un sandwich équilibré est composé :

• de pain, bien sûr, mais complet de préférence ;
• de crudités (salade verte, tomate, concombre, radis...) ;
• de protéines maigres (poulet, surimis, thon, jambon cuit...) ;

À RETENIR

Dans tous les cas, il faut éviter impérativement la charcuterie, le beurre ou la mayonnaise.

- d'un filet d'huile d'olive, de noix ou de colza ;
- d'aromates pour le goût (cornichons, câpres, etc.).

ET POUR ÉVITER D'AVOIR ENCORE FAIM APRÈS...

Outre leur possible déséquilibre diététique, les sandwichs ont un autre inconvénient : ils sont peu volumineux et donc n'apportent pas la même satiété qu'un vrai repas.

Aussi, pour éviter d'avoir faim dans l'après-midi, il est nécessaire d'appliquer certaines règles :

- être concentré sur ce repas (même s'il ne s'agit que d'un sandwich, c'est votre repas !) et ne pas faire autre chose en même temps ;
- manger lentement en mâchant bien (interdiction d' « avaler » son sandwich sur le pouce !) ;
- compléter le sandwich par un laitage (un yaourt par exemple) et un fruit qui se mâche (tel qu'une pomme), ce qui, en allongeant un peu le temps du repas, contribuera à augmenter votre satiété.

En respectant ces quelques conseils, le repas-sandwich devient alors une alternative intéressante au repas pris dans une brasserie ou un fast-food.

Déjà parus chez Larousse

LA SOUPE MINCEUR : LE RÉGIME DE CELLES QUI ONT TOUJOURS FAIM

Fini, les frustrations et les déséquilibres alimentaires engendrés par les restrictions qu'imposent la plupart des régimes ! Et fini, les reprises de poids qui s'en suivent...

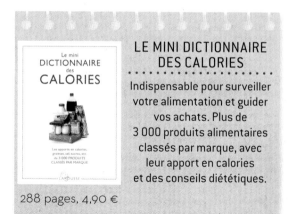

LE MINI DICTIONNAIRE DES CALORIES

Indispensable pour surveiller votre alimentation et guider vos achats. Plus de 3 000 produits alimentaires classés par marque, avec leur apport en calories et des conseils diététiques.

288 pages, 4,90 €